CW00409310

Serafina Morrin

Qualitative und quantitative Forschungsmethoden im Vergleich

GRIN Verlag

Bibliografische Information der Deutschen Nationalbibliothek:

Die Deutsche Bibliothek verzeichnet diese Publikation in der Deutschen Nationalbibliografie; detaillierte bibliografische Daten sind im Internet über http://dnb.d-nb.de/ abrufbar.

Impressum:

Druck und Bindung: Books on Demand GmbH, Norderstedt Germany
ISBN: 978-3-656-83291-1

Dieses Buch bei GRIN:

http://www.grin.com/de/e-book/283585/qualitative-und-quantitative-forschungsmethoden-im-vergleich

Qualitative und quantitative Forschungsmethoden

Aufgabe 1 zur Prüfungsleistung

Katholische Hochschule für Sozialwesen Berlin

Serafina Morrin

Studiengang BA Bildung und Erziehung

April 2014

Inhaltsverzeichnis

1 Historischer Rückblick

Um die Trennung von qualitativer und quantitativer Forschung zu verstehen, lohnt sich ein Blick auf den Entstehungsprozess der empirischen Pädagogikforschung. Bildung und Erziehung als eine Wissenschaft zu betrachten, in der Philosophie und Pädagogik ineinandergreifen, hat ihren Ursprung in dem Jahrhundert der Pädagogik[1]. Der geisteswissenschaftliche Gedanke der Pädagogik war dann bis in den zweiten Weltkrieg hinein vorherrschend.

Es bestand eine klare Trennung von Geistes- und Naturwissenschaft. Für Wilhelm Dilthey[2] stand die Naturwissenschaft, als nicht interpretativ sondern allgemeingültige Gesetze suchend, die durch Messungen belegt werden können, auf der einen Seite. Die Geisteswissenschaft dagegen wollte historische Gegenstände verstehen. Sie betrachtete sie im komplexen Zusammenhang und versuchte den historischen Wandel zu verstehen.

Doch diese Methodentrennung von verstehender, interpretativer Geisteswissenschaft und der erklärenden, nach allgemeingültigen Gesetzen suchenden Naturwissenschaft wurde mit der „realistischen Wende“ hinterfragt, da man davon ausging, dass die Geistes- doch von der Naturwissenschaft lernen könne. Heinrich Roth, als Vertreter der „realistischen Wende“ (1960er Jahren) (vgl. Oelkers, 2012, S. 7), wollte für die Geisteswissenschaft nicht mehr nur hermeneutisches Interpretieren klassischer Texte sondern fragte, wie die Wirklichkeit aussieht. Wie kann man geisteswissenschaftliche Realität empirisch so abbilden, dass ein kontrollierter, belegbarer, wissenschaftlicher Zugang entsteht? Geisteswissenschaft sollte nicht mehr nur spekulativ sein sondern Wirklichkeit nachvollziehbar darstellen. Damit war der Grundstein für qualitatives Forschen gelegt.

Ausgehend vom Messen und Erstellen allgemeingültiger Regeln einerseits und dem hermeneutischem Interpretieren andererseits haben sich zwei unterschiedliche Methoden entwickelt: die qualitative und die quantitative empirische Forschung.

---

[1] Erster Lehrstuhl für Pädagogik an der Universität Halle (Ernst Trapp 1779) (vgl. Jost, o.A.)

[2] Wilhelm Dilthey (1833 – 1911), ein bedeutender geisteswissenschaftlicher Pädagoge und Philosoph wollte entgegen dem vorherrschenden Naturalismus Regeln des menschlichen Geisteslebens erkunden. Er hinterfragte daher den Unterschied zwischen Natur- und Geisteswissenschaft, zwischen Erklären und Verstehen. (Vgl. Oelkers, 2012, S. 2f)

2 Merkmale qualitativer und quantitativer Forschung

2.1 Quantitative Forschung

Die quantitative Forschung geht von theoretischen Konzepten und hypothetischen Annahmen aus und sucht empirisch nach dem Zusammenhang zwischen Ursache (z. B. einer bestimmten Lehrmethode) und Wirkung (z. B. einem bestimmten Lernverhalten) (vgl. Dörpinghaus, Poentisch, & Lother, 2006, S. 129). Mit standardisierten Methoden wird eine möglichst große Personenanzahl befragt, die Antworten aus vorgegebenen Möglichkeiten auswählen (vgl. Nadja Kutscher, 2004; vgl. Schaffer, 2009, S. 59).

Die forschungsleitenden Hypothesen werden in Meßvorgänge übersetzt, d. h. operational definiert, wobei die Gegebenheiten der pädagogischen Lebenswelt symbolisch zahlenmäßig repräsentiert werden (vgl. Krüger, Heinz H., 1994, S. 226). Mithilfe beschreibender Statistik werden die Daten ausgewertet und die erhaltene Informationen dann verdichtet, um so allgemeingültige Aussagen über große Gruppen von Menschen oder Situationen zu erhalten (vgl. Dörpinghaus, Poentisch, & Lother, 2006, S. 129). Eine Standardisierung, die im Vorfeld Kategorien konzeptuiert hat, soll Zuverlässigkeit und Intersubjektivität garantieren (vgl. Dörpinghaus, Poentisch, & Lother, 2006, S. 130).

2.2 Qualitative Forschung

Die qualitative Forschung arbeitet mit nicht-standardisierten Methoden (z.B. offene Fragestellungen). Dörpinghaus et.al nennen drei Kennzeichen: Es soll mit Methoden gearbeitet werden, die der Komplexität und Differenziertheit der Wirklichkeit gerecht werden. Die subjektive Bedeutung des Gegenstandes für den Betroffenen wird erfragt und als drittes nennen sie Reflexivität des Forschenden, da seine Subjektivität nicht ausgeschlossen werden kann (vgl. Dörpinghaus, Poentisch, & Lother, 2006, S. 132).

Heinz Krüger gibt an, dass qualitative Forschung von einem Verständnis ausgeht, das die soziale Welt als eine durch interaktives Handeln konstituierte Welt begreift (vgl. Krüger, Heinz H., 1994, S. 204). Daher verwundert es nicht, dass qualitative Verfahren in der Sozialen Arbeit in den letzten Jahren an Bedeutung gewonnen haben (Schaffer, 2009, S. 60). So gibt es im gesamten Bereich der Sozialwissenschaften kaum ein Feld, in dem nicht auch qualititativ geforscht wird (vgl. Keddi & Stich, 2008, S. 1).

2.3 Gegenüberstellung qualitativer und quantitativer Methoden

	Quantitative Methoden	Qualitative Methoden
Ursprung	Naturwissenschaft	Geisteswissenschaft
Weltver-ständnis	Realität und deren kausalen Zusammenhänge lassen sich anhand von allgemeingültigen Gesetzesmäßigkeiten abbilden und erklären.	Die Welt als soziale Welt ist durch interaktives Handeln konstituiert (vgl. Krüger, H. H., 1994, S. 204).
Anlass	- Quantifizierung von Daten (vgl. Schaffer, 2009, S. 60) - Verbreitung eines Phänomens ermitteln (Albert & Marx, 2010, S. 13)	- Es liegen noch keine quantifizierten Daten vor oder sind nicht zu erwarten (vgl. Lüders, 2008, S. 25; vgl. Albert & Marx, 2010, S. 13). - Komplexe Themenfelder verlangen Verständnis für den Kontext (vgl. Lüders, 2008. S. 25). - Verstehen und Rekonstruktion von Einzelfällen (vgl. Schaffer, 2009, S. 60)
Strategie/ Vorgehen	<u>linearer Ablauf:</u> 1. Formulierung von Hypothesen 2. Auswahl der Methode 3. Auswahl der Probanden 4. Datenerhebung 5. Datenauswertung 6. Ergebnisse/Testen von Hypothesen (vgl. Rohde, S. 512 und vgl. Witt, 2001, Abs. 15)	<u>zirkulärer Ablauf:</u> Festgelegt ist zu Beginn Vorverständnis und zum Ende Thesenentwicklung, dazwischen wird die Folge von Auswahl des Verfahrens, Auswahl der Person, Datenerhebung und -auswertung mehrmals zirkulär durchlaufen. (vgl. Rohde, S. 512; vgl. Witt, 2001, Abs. 15)
Zielstellung	Die Zielstellung muss zu Beginn klar festgelegt werden (vgl. Witt,	Die Zielstellung ist von der Untersuchung abhängig. Die Fra-

	2001, Abs. 3).	gestellung wird im Verlauf immer wieder modifiziert (vgl. Witt, 2001, Abs. 3 u.15).
Umgang mit Hypothese und Theorien	Hypothesen und Theorien werden getestet (vgl. Schaffer, 2009, S. 60 und Dörpinghaus, et.al. 2006, S. 129)	Hypothesen und Theorien werden gesucht (vgl. Schaffer, 2009, S. 60).
Bestimmung des Themenfeldes	- explanative Funktion - Themenfeld wird vorher bedacht - Antwortmöglichkeiten werden vorher getestet und dann festgelegt - bewusstes Wissen wird abgefragt (vgl. Keddi & Stich, 2008, S. 3) - Forschungsgegenstand kann nicht aus Erinnerung beschrieben werden, sondern aus der Messung der Tatsachen (Ausnahme: Forschungs-gegenstand ist die Erinnerung selbst)	- explorative Funktion (vgl. Lüders, 2008, S. 25 und vgl. Keddi & Stich, 2008, S. 2) - Kategorien können neu gebildet werden anhand dem Erfoschen scheinbar nebensächlichen Wissens und inkorporiertem Erfahrungswissen, das reflexiv zugänglich gemacht wird (Keddi & Stich, 2008, S. 2) - Erinnerungswissen ist bedeutend (Keddi & Stich, 2008, S. 2)
Stichprobengröße	große Stichprobe(vgl. Schaffer, 2009, S. 60)	kleine Stichprobe (vgl. Schaffer, 2009, S. 60)
Foschungslogik	vorwiegend deduktiv (vgl. Schaffer, 2009, S. 60 und Rohde, S. 512) vom Allgemeinen ins Besondere - anhand einer Vielzahl von Fällen wird eine Theorie aufgestellt	vorwiegend induktiv (vgl. Schaffer, 2009, S. 60 und Rohde, S. 512) vom Einzelfall ins Verallgemeinernde – ein gültiges Schema wird aus Einzelfällen abgeleitet
Forschungsper-	Sicht aus Außenperspektive des Forschenden (vgl. Scheibler, S. 3)	Sicht der Betroffenen (vgl. Scheibler, S. 3)

spektive		
Methoden der Datenerhebung	standardisierte, messbare Verfahren (Meßverfahren vorher operationalisiert); Erhebungsinstrument wird vorab anhand eines Pretests erprobt; (vgl. Rohde, S. 513; vgl. Dörpinghaus, Poentisch, & Lother, 2006, S. 128)	nichtstandardisierte, offene Verfahren die Kontexte mit betrachten (vgl. Rohde, S. 513)
Daten	- zahlenmäßig darstellbare Daten deren Entstehungsgeschichte oder -bedingungen bekannt sind (z.B.: Skalenwerte in Tests, Zeitwerte); - Daten enthalten keinen Bedeutungsgehalt, er wird nachträglich vom Leser hinzugefügt (vgl. Witt, 2001, Abs. 2).	Daten tragen konkrete Bedeutung, die nicht unbedingt eindeutig ist und um die Kontextbedingungen ergänzt werden muss. (vgl. Witt, 2001, Abs. 2)
Auswertung	statistisch-mathematisch (vgl. Rohde, S. 512)	interpretierend, der jeweiligen Untersuchungsmethode angemessen (vgl. Rohde, S. 512)
Ziel	- theorieprüfend - Erklären kausaler Zusammenhänge (vgl. Scheibler, S. 3) - Beschreiben und Erklären eines Phänomens und seiner Verbreitung (vgl. Albert & Marx, 2010, S. 13) - Verallgemeinerbarkeit von Stichproben (vgl. Scheibler, S. 3)	- theoriebildend - Erforschen von Erfahrungen und Lebenswelten von Menschen aus deren Perspektive (vgl. Scheibler, S. 3; vgl. Albert & Marx, 2010, S. 13) -fachliche Bewertung und Weiterbildung der Praxis (vgl. Lüders, 2008, S. 26)
Gütekriterien	(alle: vgl. Rohde, S. 51) - Objektivität (sind die Ergebnisse unabhängig von Einflüssen der Forschenden)	(alle: vgl. Rohde, S. 51) - Verfahrensdokumentation (Prozess wird detailliert dokumentiert)

	- Reliabilität (Kommen andere Forschende bei gleichen Bedingungen zum gleichen Ergebnis?) - Validität (Wird wirklich der Forschungsgegenstand gemessen?)	- argumentative Interpretationsabsicherung (Argumente werden nachvollziehbar begründet) - Regelgeleitetheit - Nähe zum Gegenstand (nah an der Alltagswelt der Probanten) - Kommunikative Validierung (Gültigkeit der Ergebnisse wird mit Probanden diskutiert)
Grenzen der Vorgehensweise	-Themenfeld ist neu -Fragestellung lässt keine Interpretation zu -Daten lassen sich nicht standardisieren (z.B. Maßeinheit für Schmerzen) -Forschungsperspektive nicht aus Sicht der Probanden	-Der Interpretationsspielraum ist groß und kann daher Bias hervorrufen. -Eine große Untersuchungsgruppe zu bearbeiten ist sehr aufwendig.

Tabelle 1: Gegenüberstellung qualitativer und quantitativer Methoden; eigene Darstellung

3 Qualitative und quantitative Methoden - Gegensatz oder Ergänzung?

Mit der „realistischen Wende“ und dem Entstehen der beiden Forschungsrichtungen entstand die Frage, ob objektive Wissenschaft Raum für Spekulationen haben darf (Methodenstreit) (vgl. Schaffer, 2009, S. 59). Ein Aspekt war, ob die Wertfreiheit der Forschung durch qualitative Studien erhalten bleibt oder ob Forschung an sich nie wertfrei sein kann, da Erkenntnis immer auch mit Interesse verbunden ist (Habermas) (vgl. König, 1972, S. 225f). Wurden beide Methoden zuerst als Gegensätze behandelt, hat man inzwischen erkannt, dass sie sich ergänzen können. Ein Methodenmix ist daher keine Seltenheit (vgl. Keddi & Stich, 2008, S. 4; vgl. Witt, 2001, Abs. 4 und 5). Qualitative Daten können z.B. nachträglich quantifiziert werden; sie können vorformulierten Kategorien zugeordnet werden und zudem können im Rahmen einer Fragestellung beide Methoden angewandt werden (Triangulation) (vgl. Witt, 2001, Abs. 4 und 5). Die Qualitative Inhaltsanalyse z.B. beschreibt größere Mengen von Texten klassifikatorisch (vgl. Keddi & Stich, 2008, S. 2).

> „...wie die Schenkel eines Triangels zusammengeschweißt sind, so sind qualitative und quantitative Analyseschritte miteinander zu verbinden, sie sind aufeinander angewiesen, um einen reinen Klang hervorbringen zu können“ (Mayring, 1999, 122).

4 Literaturverzeichnis

Albert, R., & Marx, N. (2010). *Empirisches Arbeiten in Linguistik und Sprachlehrforschung.* Tübingen: Narr Francke Attempto.

Dörpinghaus, A., Poentisch, A., & Lother, W. (2006). *Einführung in die Theorie der Bildung.* Darmstadt: Wissenschaftliche Buchgesellschaft.

Jost, E. (o.A.). *Interdisziplinäres Zentrum für die Erforschung der Europäischen Aufklärung.* Abgerufen am 20. April 2014 von http://www.izea.uni-halle.de/cms/index.php?id=286&L=0&type=98&print=1&no_cache=1

Keddi, B., & Stich, J. (2008). Qualitative Sozialforschung. Erschließung von Wirklichkeit - Auswahl der Fälle - Instrumente der Erhebung. In: *DJI Bulletin 82 PLUS, S. 1-4* .

König, E. (1972). Wertfreiheit und Rechtfertigung von Normen im Positivismusstreit. In *Zeitschrift für Soziologie, Jg 1, Heft 3* (S. 225 - 239). Stuttgart: F. Enke Verlag.

Krüger, H.H. (1994). *Theorien und Methoden der Erziehungswissenschaft.* Opladen: B. Budrich.

Kutscher, N. (2004). *Qualitative und quantitative Verfahren.* Abgerufen am 18. April 2014 von https://www.uni-bielefeld.de/Universitaet/Einrichtungen/Zentrale%20Institute/IWT/FWG/Jugend%20online/qualitativ.html

Lüders, C. (2008). Qualitative Forschung - im Schnittpunkt von Forschung, Politik- und Praxisberatung. In: *Deutsches Jugendinstitut Bulletin 82* , 25 - 27.

Mayring, P. (1999). *Einführung in die qualitative Sozialforschung.* Weinheim: Psych.V. Union.

Oelkers, J. (2012). Geisteswissenschaftliche Didaktik und empirische Forschung. *Fachspezifische empirische Unterrichtsforschung in den Geistes- und Sozialwissenschaften.* Abgerufen am 14. April 2014 von http://www.ife.uzh.ch/research/emeriti/oelkersjuergen/vortraegeprofoelkers/vortraege2012.html .

Rohde, K. (2008). Forschungsansätze und -methoden. In U. O. (Hrsg), *In guten Händen. Band 3* (S. 512 - 515).

Schaffer, H. (2009). *Empirische Sozialforschung für die Soziale Arbeit. Eine Einführung. 2. Auflage.* Freiburg im Breisgau: Lambertus Verlag.

Scheibler, P. (o.A.). *Qualitative versus quantitative Forschung.* Abgerufen am 17. April 2014 von https://studi-lektor.de/tipps/qualitative-forschung/qualitative-quantitative-forschung.html

Witt, H. (Februar 2001). Forschungsstrategien bei quantitativer und qualitativer Sozialforschung [36 Absätze]. *FQS Forum Qualitative Sozialforschung / Forum Qualitative Social Research, 2 (1) Art. 8,* Abgerufen am 18. April 2014 von http://www.qualitative-research.net/index.php/fqs/article/view/969/2114.

Lightning Source UK Ltd.
Milton Keynes UK
UKRC012012250919
350470UK00006B/33